NICHOIRS
ET MANGEOIRES

NICHOIRS
ET MANGEOIRES

Texte de Andrew Newton-Cox et Deena Beverley
Adaptation française d'Emmanuelle Pingault

GRÜND

À Jane Wilson

Adaptation française de Emmanuelle Pingault
Texte original de Andrew Newton-Cox et Deena Beverley
Secrétariat d'édition : Anne Terral

Première édition française 1998 par Librairie Gründ, Paris
©1998 Librairie Gründ pour l'édition française

ISBN : 2-7000-5565-9
Dépôt légal : avril 1998
Édition originale 1997 par Lorenz Books
sous le titre original *Making Birdhouses*
©1997 Anness Publishing Limited

Photocomposition : PFC, Dole
(caslon, clearface, garamond, helvetica, zapf)

Imprimé à Singapour

Avertissement
La menuiserie et le bricolage sont des passe-temps agréables,
mais le maniement des outils exige une certaine prudence
et le port de vêtements protecteurs s'impose parfois.
Les auteurs et les éditeurs ont veillé à ce que les instructions contenues
dans cet ouvrage soient précises et sans danger,
et déclinent toute responsabilité
en cas d'accident matériel ou corporel.

SOMMAIRE

INTRODUCTION

Créer un monde miniature à partir de quelques matériaux simples tout en donnant un petit coup de pouce à la nature, c'est merveilleux ! Et c'est peut-être pour cela que partout dans le monde, la construction de nichoirs et de mangeoires figure en bonne place parmi les arts populaires. Qu'il soit rudimentaire ou raffiné, l'aspect d'un nichoir n'affecte pas sa fonction. Vos créations pourront recevoir la finition de votre choix, pourvu qu'elles soient d'une taille adaptée et qu'elles offrent une certaine sécurité à leurs occupants. Les réalisations présentées dans ce livre sont une façon pratique et esthétique d'offrir le gîte et le couvert à la gent ailée. Même inoccupé, un nichoir agrémente de manière charmante un intérieur ou un jardin. Les modèles anciens sont d'ailleurs de plus en plus recherchés. Notre souhait est que vous fabriquiez vous-même la pièce rare de votre collection. Quel que soit votre degré d'habileté, vous trouverez ici une réalisation à votre portée, simple ou complexe. Ainsi, les menuisiers amateurs apprendront de nouvelles techniques tout en créant un objet que chacun, humain ou oiseau, ne pourra qu'apprécier.

À vos outils !

Important : pour connaître les dimensions de la plaque de contre-plaqué que vous devrez acheter pour construire le nichoir de votre choix, reportez-vous aux plans du modèle en fin d'ouvrage.

ACCUEILLIR LES OISEAUX

Un nichoir en paille tressée imitant une ruche traditionnelle convient aux petits oiseaux et décore le jardin.

Même en ville, le moindre jardin offre aux oiseaux quantité de recoins et de cavités pour y loger. Si vous les y encouragez en leur proposant un nichoir adapté, ils ne feront pas que passer chez vous : ils s'y installeront pour de bon.

La forme adéquate

Le meilleur moyen d'observer les oiseaux qui évoluent dans votre jardin est d'y poser un nichoir. Pour compléter les idées que vous trouverez dans les pages qui suivent, renseignez-vous auprès des associations de protection des oiseaux. Elles vous expliqueront comment fabriquer des nichoirs simples mais sûrs.

Le choix de l'emplacement

Il existe peut-être dans votre jardin un emplacement naturel facilement transformable en nichoir. Les oiseaux s'installeront volontiers dans une cabane dont on laissera la porte entrouverte, ou dans une cavité sous le rebord du toit de la maison ou d'une dépendance. Les haies de feuillus, les troncs creux, les ronciers à l'abandon et les tas de bois constituent des lieux accueillants. Disposez votre nichoir dos au vent et à la pluie, mais ne l'orientez pas face au sud, car le soleil direct est trop chaud pour les œufs et les oisillons. Placez les nichoirs ouverts en façade au milieu d'une végétation épaisse.

Éviter les prédateurs

Les oisillons doivent apprendre à survivre par eux-mêmes ; toute intervention humaine leur est néfaste. Vous pouvez toutefois les protéger en attachant un grelot au collier de votre chat, afin que les parents soient alertés de l'approche du danger. Pour éloigner les félins des lieux de nidification, il est également efficace de planter des végétaux épineux tout autour ou de répandre au sol des répulsifs (huiles essentielles spécifiques ou produits du commerce).

Parmi les autres dangers, signalons les pies, qui attaquent les nids de pinsons et de merles. Les pics, qui peuvent transpercer une paroi en bois à coups de bec, seront découragés si vous protégez le nichoir avec une plaque de tôle.

Même si cela peut vous paraître cruel, ne ramassez jamais un oisillon tombé du nid ; laissez la nature suivre son cours. Rappelez-vous que le monde animal est régi par la loi du plus fort et gardez vos distances.

Les rouges-gorges, entre autres espèces, apprécient les nichoirs ouverts en façade.

Comment installer un nichoir

Voici quelques règles simples à respecter au moment d'installer un nichoir :

Soyez patient. Le nichoir restera peut-être vide plusieurs saisons. Lorsque des oiseaux y éliront domicile, ne vous mêlez plus de rien. Observez-les de loin.

Évitez de disposer une mangeoire à proximité d'un nichoir. Les oiseaux au nid souffriraient de la présence d'autres espèces si près d'eux.

Restez modeste : un ou deux nichoirs sont amplement suffisants pour un jardin de taille moyenne.

Mettez votre nichoir en place à l'automne. Ainsi, il sera patiné par les intempéries et offrira un lieu de rencontre aux espèces s'accouplant l'hiver, dont les petits naissent au début du printemps.

À la fin de la saison (vers novembre), nettoyez les nichoirs désertés à l'eau bouillante pour détruire les éventuels parasites.

Bien qu'il ait été embelli et personnalisé, ce nichoir garde ses qualités pratiques : perchoir pour faciliter l'accès aux occupants et entrée étroite pour empêcher les gros oiseaux d'y pénétrer.

Les divers types de nichoirs

Il existe plusieurs types de nichoirs, chacun convenant à une espèce particulière. Par exemple, les mésanges noires aiment les entrées étroites, qui leur évitent d'être évincées par les mésanges charbonnières, plus grosses, lors des inévitables conflits territoriaux.

Les rouges-gorges, les pigeons colombins, les choucas, les hochequeues et les gobe-mouches gris sont candidats au nichoir ouvert en façade. Les chouettes préfèrent un abri en forme de cheminée, qui leur rappelle les branches creuses qu'elles affectionnent dans la nature. Un nichoir de ce type est particulièrement recommandé lorsqu'un lieu naturel de nidification a été détruit par l'orage. Attachez-le contre une branche inclinée à 45 degrés, percez le fond pour que l'eau de pluie puisse s'écouler et placez dedans une poignée de copeaux ou de gravillons. Dans certains pays, les chouettes sont protégées par la loi et les nids ne peuvent être visités qu'avec un permis spécial, même si le nichoir vous appartient. Renseignez-vous auprès d'une société ornithologique.

On peut également fabriquer des nichoirs spéciaux pour les pics et les faucons crécerelles. Les amoureux de la nature poseront également des abris pour les hérissons et les écureuils.

La forme étroite et profonde de ce nichoir attirera les chouettes, qui aiment s'installer dans les arbres creux.

Attirer les oiseaux

Ci-dessus : des graines prises dans un bloc de saindoux séduiront une grande variété d'oiseaux.

À droite : les mangeoires couvertes abriteront les oiseaux - et la nourriture - des intempéries. Celle-ci est faite de morceaux de bois ramassés dans la forêt.

Ci-dessous : si vous leur donnez de la nourriture sèche, il faut aussi offrir à boire à vos hôtes, surtout l'hiver.

Le moyen le plus facile d'attirer les oiseaux vers votre jardin est de leur donner à manger, en particulier au cours des mois d'hiver, où la nourriture naturelle est moins abondante. Mais rien ne vous empêche de leur offrir des aliments à leur goût toute l'année.

Quelle que soit votre décision, soyez cohérent. Un voyage pour rien vers une mangeoire vide représente une grosse dépense d'énergie pour un petit oiseau. L'idéal serait de servir deux repas quotidiens en saison froide : tôt le matin et en début d'après-midi.

Au printemps et en été, il peut toujours être utile de présenter de la nourriture aux oiseaux, à condition de respecter les conseils suivants pour garantir sécurité et hygiène : n'offrez d'arachides que si elles sont enfermées dans un filet. Cela évitera que les oiseaux en emportent de gros morceaux, qui pourraient étouffer leurs oisillons. En été, ne servez pas de matières grasses solides. Elles ramolliraient ; en outre, la graisse molle peut coller le bec d'un oiseau.

Le grillage qui enserre les graines empêche les oiseaux d'extraire une graine entière. Cette précaution est importante au moment des éclosions, car un oisillon peut s'étouffer avec une graine trop grosse.

Où placer la nourriture

L'idéal est de poser une mangeoire à 2 ou 3 mètres d'un arbre ou buisson, sur lequel les oiseaux pourront se réfugier en cas de danger, mais toujours à 5 mètres au moins d'une habitation. Certes, de nombreuses espèces se méfient des lieux exposés, mais mieux vaut éviter que les oiseaux se cognent aux carreaux ou soient effrayés par le mouvement des occupants de la maison. Il existe dans le commerce des silhouettes d'oiseaux de proie à coller sur les fenêtres, qui matérialisent la présence d'une paroi transparente et empêchent les petits oiseaux de voler trop près de la maison.

Les mangeoires sur pied

Une mangeoire sur pied vous permet de profiter du spectacle tout en offrant aux volatiles une certaine protection contre les prédateurs et les éléments. Utilisez du bois non traité si vous voulez en fabriquer une vous-même. Un petit toit garde au sec les graines et les oiseaux. Si vous préférez un modèle sans toit, percez le fond du plateau de quelques trous d'écoulement. Un petit rebord évite que les graines ou les miettes les plus légères ne s'envolent au moindre coup de vent. Il faut nettoyer la mangeoire de temps à autre et en retirer les aliments gâtés. Offrez de l'eau toute l'année, sous la forme d'un simple bol posé sur le plateau, ou bien à l'aide d'un petit dispositif séparé.

Les boules de graines et les guirlandes d'arachides compléteront agréablement le maigre régime de l'hiver. Laissez toujours un peu d'eau à la disposition de vos hôtes, car la nourriture sèche ne suffit pas à leur assurer une bonne hydratation.

Les mangeoires suspendues permettent à de nombreuses espèces de se livrer à des acrobaties.

Les mangeoires au sol

Certains oiseaux, comme l'accenteur mouchet ou la grive musicienne, se nourrissent au sol. Les faisans, les bouvreuils, les bruants et les tourterelles peuvent également être attirés par un repas servi par terre. Disposez les mangeoires au sol loin des mangeoires suspendues, afin que la nourriture ne soit pas souillée par les oiseaux se trouvant au-dessus.

Les mangeoires suspendues

Des espèces telles que les mésanges sont capables de se nourrir dans les arbres et apprécieront une mangeoire acrobatique. Les mésanges bleues et les mésanges charbonnières peuvent s'accrocher la tête en bas à différents types de mangeoires, où les rejoindront peut-être tarins des aulnes et grimpereaux. Certains aliments peuvent être suspendus seuls : arachides dans leur coque, noix de coco coupées en deux, guirlandes de pop-corn et pains de graisse enfilés sur une ficelle.

Au menu

Une couronne de tranches d'airelles confites sera très appréciée de la gent ailée.

E n plus des restes de repas, de nombreux aliments conviennent aux oiseaux du jardin. Les catalogues spécialisés en offrent une large gamme destinée à attirer des espèces particulières. Voici quelques idées.

Les matières grasses

Les meilleures matières grasses pour préparer des blocs sont la graisse de mouton et de bœuf, sous leur forme naturelle ou en pains de suif. Ces graisses dures ne fondent pas facilement au soleil et ne risquent donc pas de coller le bec des oiseaux. Les fabricants de blocs utilisent des additifs pour les rendre plus attirants, mais vous n'aurez aucun mal à faire de même chez vous avec des graines en mélange, des fruits frais et des fruits secs.

Les vers vivants

Les vers vivants (asticots et vers rouges) constituent une précieuse source de protéines et attireront une grande variété de volatiles vers votre jardin. Ils sont particulièrement utiles pendant les grands froids. Ils s'achètent dans les magasins de pêche.

Les graines et les noix

Utilisez toujours des graines de première qualité et de bonne origine, et non des déchets ou des brisures qui ne séduisent pas les oiseaux et n'offrent aucun intérêt nutritionnel. Si vous choisissez des graines de tournesol, très prisées de beaucoup d'espèces, préférez les graines noires aux graines panachées de blanc. Elles ont la peau moins épaisse, ce qui les rend plus faciles à ouvrir. Les graines de tournesol sont toutes sans danger pour les oisillons, ce qui permet de les proposer toute l'année. Les mélanges pour canaris, les graines de melon, le chènevis, le blé, le maïs concassé ou écrasé et les flocons d'avoine sont de bonnes sources de calories. On peut même adapter les mélanges de manière à n'attirer qu'une espèce précise. Vous trouverez des détails dans les ouvrages spécialisés.

Les arachides non salées

N'achetez que des arachides de premier choix, exemptes de toute substance chimique nocive. Assurez-vous qu'il est impossible de retirer une arachide entière de la mangeoire, pour éviter que les parents n'en nourrissent leurs petits, qui seraient alors en danger de mort.

FRIANDISES POUR OISEAUX

C'est par l'expérimentation que vous saurez ce qui plaît le mieux à vos petits hôtes, mais voici quelques suggestions :
De nombreuses espèces mangent du pain. Le pain complet est préférable, mais, quelle que soit la variété offerte, faites toujours bien tremper le pain dans de l'eau pour éviter qu'il ne gonfle dans l'estomac des oiseaux.
Les fruits secs sont eux aussi appréciés, mais vous devez également les faire tremper.
Les fauvettes à tête noire et les grives sont friandes de fruits frais, surtout de pommes et de poires. Ces fruits sont particulièrement précieux l'hiver.
Le fromage râpé fera le régal des rouges-gorges.
Le sable, les graviers et les gravillons, bien qu'ils ne soient pas exactement des aliments, facilitent la digestion, surtout celle des oiseaux granivores.
Des noisettes entières enfoncées dans les replis de l'écorce d'un arbre attireront les grimpereaux, qui se plairont à les ouvrir d'un coup de bec.
Œufs durs, pommes de terre en robe des champs, pâte à tarte crue et gâteaux rassis sont des mets de choix pour les oiseaux. N'hésitez pas à faire des expériences, mais sans jamais offrir de produits déshydratés ou très salés, trop dangereux.

Les douceurs que voici attireront à coup sûr dans votre jardin des nuées d'oiseaux, dont elles feront le bonheur et la satisfaction.

Pomme fourrée

Cette pomme fourrée de friandises délicieuses et colorées est une fête pour les yeux et pour le bec. Évidez le cœur d'une pomme un peu flétrie. Remplissez la cavité de riz cuit, de graines, de fruits secs trempés et de baies. Veillez bien à ce que les fruits secs soient entièrement réhydratés avant de les ajouter au mélange.

Cœur aux baies et aux graines

Ce délice décoratif est très facile à préparer. Faites fondre de la matière grasse blanche au bain-marie. Ajoutez des baies trempées, des graines, des noix et des grains de maïs. Versez le tout dans un moule en forme de cœur (les ramequins individuels sont d'une taille parfaite). Noyez partiellement une ficelle de jardin non traitée dans le mélange en laissant dépasser l'extrémité au sommet du cœur. Si la ficelle remonte à la surface, lestez-la de quelques graines ou fruits. Laissez prendre complètement avant de démouler. Pour faciliter le démoulage, retournez le récipient et faites couler dessus un peu d'eau tiède.

Terrine d'airelles

La méthode est similaire à la recette du cœur aux baies et aux graines. Disposez une couche d'airelles trempées au fond d'un moule individuel ovale. Versez lentement de la graisse blanche fondue, juste assez pour fixer les airelles entre elles. Laissez refroidir. Lorsque la graisse a pris, versez une nouvelle couche de graisse fondue. Laissez refroidir à nouveau avant d'ajouter une seconde couche d'airelles, que vous fixerez avec un peu de graisse fondue. Laissez l'ensemble se solidifier et démoulez comme le cœur aux baies.

Pain de fête aux noix et aux baies

Faites tremper des miettes de pain complet pour les ramollir. Ajoutez des baies assorties, des graines et des noix ou noisettes. Graissez un moule à cake individuel et versez-y le mélange en tassant bien. Faites cuire à four moyen environ 15 minutes, jusqu'à ce que le dessus soit bien doré et que la pâte se décolle des bords du moule. Attendez quelques minutes avant de démouler le pain et de le poser sur une grille pour qu'il refroidisse.

Barquette à l'orange

Videz l'écorce d'une demi-orange et remplissez-la d'un mélange de müesli, de fruits, de noix et de graines, le tout préalablement trempé et réhydraté.

LES VASQUES

Les oiseaux doivent avoir de l'eau à leur disposition en permanence, à la fois pour se baigner et pour boire. Il est essentiel qu'ils entretiennent leur plumage afin de pouvoir compter sur une bonne isolation durant les longues nuits froides de l'hiver. Certains, comme les mésanges bleues, boivent davantage pendant la saison froide en raison de la faible teneur en eau de leur régime, alors composé de noix sèches. Les granivores ont également besoin de boire beaucoup pour compenser la relative sécheresse de leur alimentation.

Une mare fournit toute l'année aux oiseaux l'eau dont ils ont besoin pour boire et se laver, et attire également d'autres animaux dans le jardin. Mais tout le monde n'a pas la chance d'avoir la place ou les moyens de créer un bassin ou un plan d'eau plus grand. Installer une vasque est un bon moyen d'agrémenter votre jardin tout en faisant plaisir aux oiseaux et à vous-même.

Ne cherchez pas la complication : qu'y a-t-il de plus simple qu'une flaque d'eau ? Vous pouvez rendre permanente une flaque naturelle en creusant un trou peu profond dans une plate-bande et en y posant une feuille de plastique maintenue par quelques pierres. Autre solution facile et discrète : fixer un couvercle de poubelle à l'envers sur des briques.

Il existe dans le commerce de nombreuses vasques qui non seulement sont utiles aux oiseaux, mais encore embellissent le décor d'un jardin. Les fontaines ou les cascades artificielles rendent le point d'eau encore plus attirant pour les oiseaux comme pour les humains.

Quel que soit votre choix, assurez-vous que les parois intérieures de la vasque sont en pente douce ou qu'elles comportent un pan incliné allant jusqu'au bord, pour que les oiseaux puissent s'y déplacer à l'aise et que les petits animaux ne s'y noient pas. Prenez l'habitude de nettoyer régulièrement la vasque et d'y maintenir en permanence une eau propre, ainsi que de briser la glace qui se forme à la surface durant l'hiver.

Ci-dessus : l'eau vive est attirante pour les oiseaux et agrémente un jardin.

Ci-dessus : une vasque traditionnelle rehausse le charme de n'importe quel jardin.

À droite : cette vasque contemporaine est une véritable sculpture.

Page de droite : des fragments de poterie forment une merveilleuse mosaïque. L'accès à l'eau est facile grâce aux bords en pente douce.

Nichoir aux marguerites

Des marguerites estivales ornent avec éclat ce logement élégant. Pour personnaliser le modèle, vous pouvez remplacer les marguerites par des roses ou toute autre fleur de votre choix.

Ce qu'il vous faut

Panneau de fibres de
   moyenne densité (MDF)
   ou contre-plaqué marine
   de 6 mm
Crayon noir
Règle
Scie
Colle vinylique
Marteau
Pointes à tête homme

Scie à chantourner
Perceuse
Scie à guichet
Étau
Peinture émulsion : blanc,
   jaune, vert et bleu
Pinceaux moyens et fins
Pistolet à colle et bâtons
   de colle
Vernis pour extérieur

1 Dessinez les pièces du nichoir sur le bois selon les plans figurant page 56. Découpez les pièces et assemblez-les avec la colle vinylique et les pointes. Dessinez les fleurs, les pétales et les feuilles sur le bois en copiant le dessin de la page 18. Attention : le trou au cœur de la fleur doit être de même diamètre que celui de la façade du nichoir.

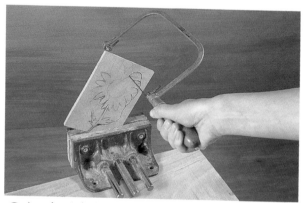

2 Avec la scie à chantourner, découpez les feuilles et les pétales. À l'aide de la perceuse et de la scie à guichet, évidez le cœur de la fleur. Peignez les pièces aux couleurs d'une marguerite et laissez sécher. Ajoutez les détails avec un pinceau fin.

•••▶

3 Peignez le nichoir en bleu. Une fois sec, il sera complété d'herbe dessinée au pinceau fin. Peignez l'ouverture en jaune, mais laissez nu l'intérieur du nichoir afin de ne pas nuire à la santé des oiseaux.

Si la menuiserie n'est pas votre fort, ce modèle plus simple vous conviendra sûrement. Il s'agit du même nichoir peint de couleurs vives. Un morceau de bouchon en guise de perchoir fait écho aux pois disposés çà et là sur le toit.

4 Avec le pistolet à colle, fixez les formes chantournées sur le nichoir. Formez une couronne de marguerites autour du nichoir et collez quelques pétales détachés sur le côté. Passez plusieurs couches de vernis pour extérieur.

MANGEOIRES RUSTIQUES

Le même modèle acheté dans le commerce a inspiré ces deux mangeoires de styles différents. L'un a été poncé et peint de manière à imiter le bois vieilli, tandis que l'autre est camouflé sous divers matériaux de récupération : feuille de tôle rouillée, cornière en métal. Faites preuve d'audace dans le choix des matériaux de manière à intégrer la mangeoire dans son environnement. Vous pouvez aussi l'orner de matériaux ramassés pendant les vacances et créer ainsi un souvenir chaleureux.

CE QU'IL VOUS FAUT

2 mangeoires en bois
Peinture émulsion : gris clair
Pinceaux moyens
Papier de verre
Colle transparente
Sable
Coquillages
Mousse
Fil de fer
Crayon noir
Ficelle naturelle

Bouchons
Cutter ou scalpel
Gros fil de fer de fleuriste
Gants de protection
Vieille feuille de tôle
Cisailles ou scie
Pistolet à colle et bâtons
  de colle
Cornière en métal
Peinture en bombe
  de couleur noire

1 Peignez la première mangeoire en gris et laissez sécher. Passez-la au papier de verre pour obtenir un effet de bois vieilli. Étalez de la colle transparente sur le toit et saupoudrez-le de sable. Ajoutez des coquillages, de la mousse… Enroulez des morceaux de fil de fer autour d'un crayon puis de la ficelle naturelle tout autour pour imiter des cordages.

2 Fermez les trous de remplissage avec des bouchons coupés et attachez le fil de fer de fleuriste qui servira à suspendre la mangeoire.

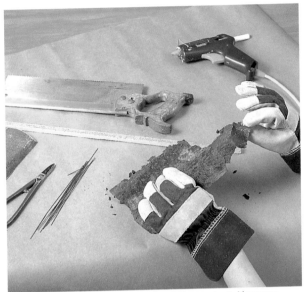

3 Pour la seconde mangeoire, passez les gants et découpez des morceaux de tôle pour le toit. Ne laissez aucun bord tranchant. Collez la tôle et fixez la mousse au pied de la mangeoire.

Ci-dessus et à droite : à partir de la même mangeoire du commerce, on obtient deux objets très différents. Essayez divers matériaux et techniques pour créer vos propres modèles.

4 Pour former le faîtage, utilisez la cornière en métal peinte en noir. Collez-la sur la mangeoire. Bouchez les trous avec deux bouchons et attachez un fil de fer au sommet de l'ouvrage.

Comme à Deauville

Pour égayer le jardin les jours gris, faites donc toute une rangée de maisonnettes de couleurs vives assorties. Disposant de résidences séparées, les oiseaux régleront rapidement leurs conflits territoriaux et il ne leur restera plus qu'à décider qui occupera le pavillon le plus proche de la plage !

Ce qu'il vous faut

Contre-plaqué marine
  de 12 mm
Crayon noir
Règle
Scie
Compas
Perceuse
Scie à guichet
Marteau
Pointes à tête homme

6 fois 15 cm de charnière
  à piano
Tournevis
Vis
Contre-plaqué marine
  de 6 mm
Scie à chantourner
Peinture pour extérieur :
  bleu, vert, rose et blanc
Pinceaux moyens

1 Tracez les pièces des cabines de plage sur le contre-plaqué de 12 mm à l'aide des plans figurant page 57. Il vous faudra six nichoirs identiques.

2 Découpez les pièces à la scie. Veillez à bien centrer le trait de scie sur les traits de crayon afin que les pièces soient de la bonne dimension.

3 Tracez une ligne verticale au milieu du panneau de façade. Tracez ensuite une ligne horizontale à la base du pignon. En prenant l'intersection pour centre, dessinez au compas un cercle de 32 mm de diamètre. Évidez le trou d'abord à la perceuse, puis à la scie à guichet.

5 Vissez la charnière à piano sur le bord de la partie du toit la plus grande (celle qui n'est pas encore fixée), à l'aide d'un tournevis et de vis d'une taille adéquate.

4 Assemblez la façade, le fond, les côtés et la partie du toit la plus petite avec un marteau et des pointes. Les bords des pièces doivent affleurer.

6 Vissez la partie du toit portant la charnière contre l'autre partie, l'avant et l'arrière dépassant de la même façon au-dessus des pignons.

•••➤

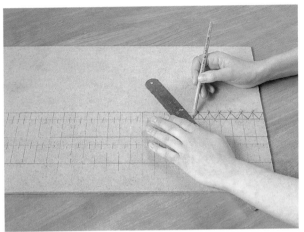

7 Dessinez le socle et les bordures dentelées décoratives sur le panneau de 6 mm. Pour tracer les dents, dessinez une bande de 50 mm de large et divisez-la en sections de 20 mm de long. Tirez ensuite un trait horizontal à 20 mm du bord supérieur de la bande. Faites un repère au crayon au milieu de chacune des sections et joignez chaque repère à la ligne supérieure de manière à former des pointes espacées de 20 mm.

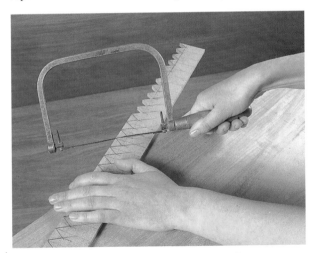

8 Découpez les dents à la scie à chantourner. Clouez une longueur de bordure sur chaque côté du socle avec des pointes à tête homme. Fixez les nichoirs sur le socle et peignez l'ensemble. Laissez nu l'intérieur des nichoirs.

VASQUE SUSPENDUE

Grâce à cette vasque suspendue en cuivre martelé, aussi belle que pratique, vous jouirez tous les jours du spectacle des oiseaux qui s'ébrouent et se baignent joyeusement. Veillez toute l'année à ce qu'elle soit alimentée en eau potable propre, et vous contribuerez au bonheur et à la santé des oiseaux de votre quartier.

Ce qu'il vous faut

Crayon gras pour porcelaine
Ficelle
Feuille de cuivre de 9/10 mm
Gants de protection
Cisailles
Lime
Vieille couverture ou dalle de moquette
Marteau
4 m de fil de cuivre moyen
Étau
Crochet à ventouse
Perceuse et mèche de 3 mm

1 Avec le crayon gras et un morceau de ficelle punaisé et noué en boucle, tracez un cercle de 45 cm de diamètre sur la feuille de cuivre.

2 Enfilez les gants et découpez le disque de métal à l'aide des cisailles. Ébarbez soigneusement les bords à la lime.

3 Posez le métal sur la couverture et martelez-le légèrement en commençant au centre. Répartissez régulièrement les coups jusqu'au bord. Donnez la forme voulue à l'ouvrage.

4 Pour le perchoir, pliez en deux un morceau de fil de cuivre de 1 m et serrez les extrémités dans l'étau. Insérez un crochet dans le mandrin d'une chignole ou d'une perceuse à petite vitesse. Passez la boucle de fil dans le crochet. Faites tourner la perceuse pour torsader le fil. Percez 3 trous de 3 mm répartis sur la circonférence du disque. Coupez trois fois 1 m de fil de cuivre, tordez une extrémité et enfilez les fils dans les trous par le dessous de la vasque. Glissez le perchoir torsadé sur deux d'entre eux, puis suspendez la vasque à l'endroit voulu.

PIGEONNIER MINIATURE

Ce pigeonnier miniature, qui est davantage une maquette qu'une véritable mangeoire, apportera un air de dignité à un petit jardin. Comme il n'est pas fait pour rester dehors sous la pluie, nous vous conseillons de le placer dans une serre ou dans une jardinière d'intérieur.

CE QU'IL VOUS FAUT

Balsa de 6 mm d'épaisseur
Crayon noir
Règle
Cutter ou scalpel
Colle vinylique
Peinture acrylique blanche
Pinceaux moyens
Papier fort gris
Baguette de balsa de 15 x 15 mm
Teinture pour bois

1 Tracez les fonds hexagonaux sur le balsa en suivant le plan figurant page 56. Découpez-les au cutter ou au scalpel.

2 Découpez les parois en inclinant la lame le long des grands côtés, pour que les pièces, ainsi chanfreinées, puissent s'assembler au plus près.

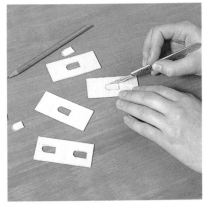

3 Évidez les ouvertures au cutter en effectuant plusieurs passages légers sur le trait plutôt qu'un seul en appuyant très fort. Découpez les perchoirs.

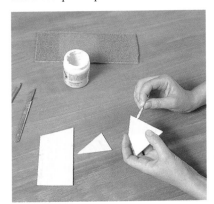

4 Découpez les pièces du toit et collez-les pour former un cône. Peignez tous les morceaux et laissez sécher. Assemblez le pigeonnier avec de la colle. Tapissez le toit de papier gris marqué de traits de crayon pour imiter des ardoises. Fabriquez un pied avec la baguette de balsa et teignez-le couleur bois.

COLOMBIER FLAMAND

C e nichoir perfectionné comporte cinq logements séparés par des cloisons intérieures. Celles-ci sont amovibles, tout comme le toit, ce qui permet d'effectuer un nettoyage complet en fin de saison.

Panneau de fibres de
   moyenne densité (MDF)
   ou contre-plaqué marine
   de 12 mm
Crayon noir
Règle
Scie
Rapporteur
Fausse équerre
Étau
Rabot
Perceuse
Scie à guichet
Colle vinylique

Chutes de bois
Pâte à modeler durcissant
   à l'air
Rouleau à pâtisserie
Couteau de cuisine
Bouton de porte de placard
   enveloppé dans une
   feuille de métal ou peint
   en gris
Peinture émulsion en blanc
   et gris
Pinceaux moyens
Vernis extérieur

1 Dessinez les pièces du colombier sur le bois en suivant le plan fourni page 32. Découpez les pièces à la scie.

2 Avec le rapporteur, réglez la fausse équerre sur un angle de 18 degrés.

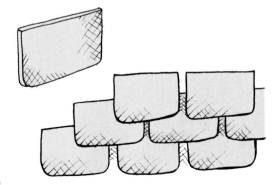

3 Placez la fausse équerre contre le bord de chacune des dix pièces de bois et marquez au crayon une ligne à 18 degrés de chaque côté.

4 Tracez une ligne droite entre les repères à chaque extrémité des pièces. Pour cela, tirez régulièrement le crayon le long de la pièce. Il vous sera peut-être plus facile d'utiliser une règle.

5 Prenez chaque pièce dans l'étau et retirez le surplus au rabot jusqu'au trait de crayon. Répétez les opérations 3 à 5 pour chacune des pièces triangulaires du toit.

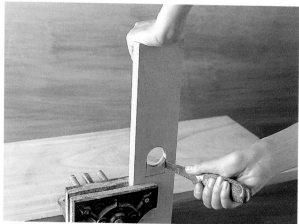

6 En vous servant de la perceuse et d'une scie à guichet, pratiquez une ouverture dans cinq des dix pièces de la paroi extérieure. Assemblez les murs du nichoir en les collant les uns aux autres et avec le fond. Dans des chutes de bois, coupez 6 petits blocs qui serviront de cales pour les planchers mobiles. Fixez-en trois à intervalles réguliers au tiers de la hauteur du nichoir, et les trois autres aux deux tiers de la hauteur. Les planchers seront simplement posés sur ces supports. Assemblez à la colle les triangles du toit, mais ne collez pas le toit sur le nichoir afin qu'il reste amovible. Étalez la pâte à modeler au rouleau et découpez-y des ardoises à l'aide du gabarit fourni. Collez-les sur le toit et posez le bouton de porte au sommet. Posez les perchoirs, puis peignez le nichoir et vernissez-le afin que les matériaux résistent aux intempéries.

•••▶

Au XIXᵉ siècle, tout château se devait de posséder un colombier en brique tel que celui-ci. Aujourd'hui, certains sont devenus des habitations ou des ateliers d'artistes, mais leur fonction première était de conserver à portée de main une réserve de viande fraîche pour les mois d'hiver ou en cas d'arrivée inopinée de quelques hôtes.

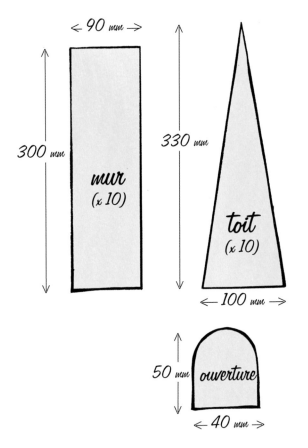

← 90 mm →

300 mm

mur
(x 10)

330 mm

toit
(x 10)

← 100 mm →

50 mm **ouverture**

← 40 mm →

30 mm

base perchoir

50 mm

← 40 mm →

perchoir

40 mm

socle

355 mm

DEMEURE BOSTONIENNE

Les oiseaux qui élèveront leur nichée dans cette maison de style Nouvelle-Angleterre feront envie à tout le voisinage.

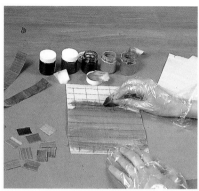

1 Tracez les pièces du nichoir sur le bois selon les plans figurant page 58. Découpez les pièces et assemblez-les avec de la colle vinylique et des pointes. Divisez la feuille de placage en tuiles de 19 x 38 mm et passez une couche de teinture irrégulière. Découpez les tuiles au scalpel ou au cutter. Collez-les sur le toit en rangées qui se chevauchent.

2 Découpez les bandes de balsa à la longueur voulue pour en couvrir la façade. Collez-les en place de bas en haut. Pour mesurer la taille des pièces nécessaires et la reporter sur les bandes, utilisez le compas ou faites des gabarits en papier. Peignez la maison en blanc cassé et les fenêtres en marron foncé. Dessinez les huisseries en blanc brillant avec un pinceau fin. Finissez par une couche de vernis extérieur.

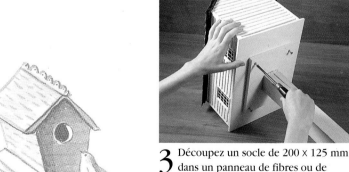

3 Découpez un socle de 200 x 125 mm dans un panneau de fibres ou de contre-plaqué. Percez des avant-trous de 3 mm à chaque coin et au milieu. Fixez le nichoir au tasseau avec une vis centrale de 75 mm. Vissez directement le socle dans le nichoir à chaque coin.

NICHOIR À MÉSANGES

Ce petit pavillon d'été sera très apprécié par les mésanges et toutes les espèces qui aiment nicher dans les trous des murs et des arbres.

CE QU'IL VOUS FAUT

panneau de fibres de moyenne densité (MDF) ou contre-plaqué marine de 6 mm
chute de tasseau (pour le pied)
crayon noir
règle
scie
perceuse
scie à guichet
colle vinylique
marteau
pointes à tête homme
peinture émulsion : gris-bleu et blanc
pinceau moyen
papier de verre à grain moyen
feuille de plomb
cisailles
pistolet agrafeur et agrafes
fil de laiton
pince coupante

1 Tracez le nichoir sur le bois en suivant le plan figurant page 58. Évidez l'ouverture avec la perceuse et la scie à guichet. Assemblez les pièces avec de la colle vinylique et des pointes à tête homme. Ne collez que la partie du toit la plus petite. Peignez le nichoir, y compris la partie du toit non fixée, en gris-bleu. Après séchage, peignez les parois du nichoir en blanc. Après un second séchage de 2 ou 3 heures, passez le nichoir au papier de verre moyen afin d'user la couche de peinture blanche. Coupez une bande de feuille de plomb de la longueur du toit sur 50 mm de large. Agrafez-la à la partie libre du toit. Posez les moitiés de toit face à face, pliez le plomb en forme et agrafez-le sur le nichoir.

À droite : le nichoir à mésanges peut être décoré de diverses manières. Il se fixe sur un piquet ou se suspend à une branche, comme ici.

2 Percez deux petits trous sous l'ouverture, de part et d'autre de celle-ci. Avec le fil de laiton, formez une boucle légèrement plus large que la distance entre les deux trous. Enfoncez le fil dans les trous et rabattez 12 mm de fil contre la paroi intérieure pour fixer le perchoir.

LANTERNE-MANGEOIRE

Ce joyau scintillant qui se balance dans le feuillage est construit à partir d'une lanterne achetée toute faite et d'une boîte de conserve recyclée.

CE QU'IL VOUS FAUT

Lanterne en verre
Mètre ruban (facultatif)
Verre fin et diamant (facultatif)
Crayon gras pour porcelaine
    (facultatif)
Équerre (facultatif)
Règle
Gants de protection
Boîte de conserve en métal brillant
    (pas d'aluminium), lavée et séchée
Cisailles
Soudure liquide et fer à souder
Fil d'étain
Grillage métallique à mailles fines

1 Pour adapter la lanterne afin qu'il soit possible de fixer des trémies, nous avons dû réduire la taille de certaines fenêtres et donc utiliser du verre en plus. Si c'est aussi votre cas, mesurez les surfaces à remplacer et réduisez les mesures de 6 mm pour tenir compte de la bordure en métal autour de chaque panneau. Avec le crayon gras, reportez les mesures sur le verre, puis découpez-le en passant fermement le diamant contre la règle une seule fois.

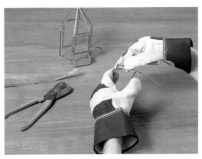

2 Avec les gants, et en travaillant prudemment pour éviter de vous blesser, découpez la boîte de conserve en bandes de 9 mm de large à l'aide des cisailles. Bordez chaque morceau de verre d'une bande de métal posée à cheval. Recoupez les extrémités bien nettement et étalez un peu de soudure liquide sur les parties internes de chaque coin.

3 Pour souder les coins de chaque panneau, appliquez le fer à souder sur la jonction et posez le fil d'étain à l'emplacement ainsi chauffé. Maintenez le tout en place jusqu'à ce que le métal coule entre les surfaces à assembler. Retirez le fer à souder. La soudure durcit en 1 ou 2 secondes. N'oubliez pas que le métal reste chaud longtemps.

4 Mesurez l'ouverture des trémies et mettez le métal en forme à l'aide d'une équerre ou d'une règle pour que les pliures soient droites. Soudez les trémies. Découpez une plate-forme en grillage et soudez les panneaux, les trémies et la plate-forme sur la lanterne.

MAISON DE POUPÉE

Inspirée des maisons de contes de fées,
cette résidence à deux niveaux, dotée d'entrées
et de logements séparés, égaiera votre jardin
et fera le bonheur des oiseaux et des enfants.

CE QU'IL VOUS FAUT

Panneau de fibres de
   moyenne densité (MDF)
   ou contre-plaqué marine
   de 6 mm
Règle
Équerre
Crayon noir
Scie
Pistolet à colle et bâtons
   de colle
Scalpel ou cutter
Balsa de 6 mm d'épaisseur
Peinture émulsion : rose,
   blanc, bleu, gris foncé,
   ocre rouge, brique et vert
Pinceaux fins et moyens
Carton de montage

Perceuse
Scie à guichet
Peinture acrylique ou
   aquarelle de diverses
   couleurs
Balsa de 1,5 mm
   d'épaisseur
Bandes de balsa
   de 1,5 × 3 mm
100 mm de charnière
   à piano
Tournevis
Adhésif double face
Ciseaux
Sciure fine
Vernis extérieur

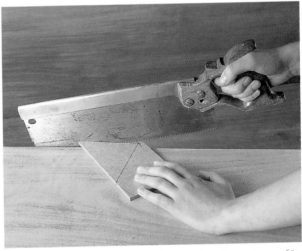

1 Tracez les pièces sur le bois selon les plans figurant page 60 et découpez-les. Collez dans l'ordre les pièces 1 à 8. Coupez le toit de la marquise en V comme indiqué.

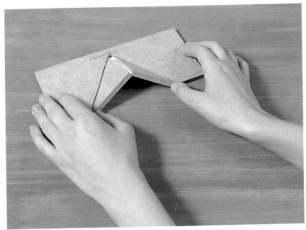

2 Collez les deux triangles dans l'ouverture de la marquise et collez-les à leur sommet.

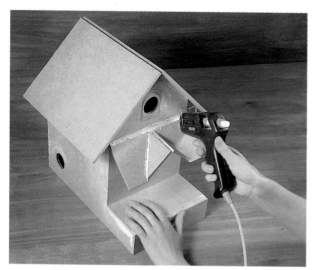

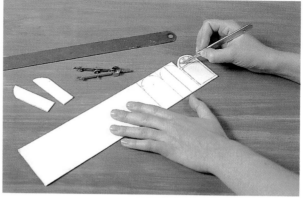

3 Collez la marquise terminée sur la façade de la maison. Avec un cutter ou un scalpel, coupez quatre piliers en balsa de 6 × 6 mm mesurant 110 mm de long et collez-les sous la marquise. Vérifiez qu'ils sont bien droits de profil comme de face. Peignez la maison en rose, bleu et blanc.

4 Dessinez et découpez les huisseries dans le carton de montage en suivant les plans. Faites les volets en vous servant du plan d'une fenêtre. Avec une perceuse et une scie à guichet, percez des ouvertures à l'emplacement de la fenêtre du haut et de l'entrée latérale. Posez les encadrements contre les ouvertures et tracez-en les contours au crayon sur le bois. Peignez les zones ainsi délimitées en gris foncé et laissez sécher. Sur le fond gris, peignez des rideaux à l'acrylique ou à l'aquarelle. Collez ensuite les huisseries (fenêtres et portes). Décorez les volets avec des cœurs découpés dans du balsa de 1,5 mm et collez-les de part et d'autre des fenêtres.

5 Mesurez la distance entre les murs de la maison et le pilier de coin du perron, puis la distance entre ce pilier du coin et le pilier central. Taillez une balustrade dans le balsa de 1,5 × 3 mm et collez-la en place.

•••➤

6 Posez une petite cloison en bois entre la maison
et le dessous du perron afin d'éviter que des oisillons
ne s'y glissent.

8 Avec un scalpel, découpez des tuiles de 19 × 38 mm dans
le carton de montage et retaillez une extrémité en pointe.
Déroulez des bandes d'adhésif double face sur la table et posez
les tuiles sur l'adhésif. Peignez-les en tons dégradés de rouge
brique et d'ocre rouge. Laissez sécher. Tracez des lignes
horizontales distantes de 19 mm sur le toit et posez les tuiles de
bas en haut en les alignant sur les traits de crayon. Commencez
un rang sur deux par une tuile coupée en deux dans le sens de la
longueur afin que les joints du rang précédent soient dissimulés.
Pour terminer le décor, passez de la peinture rouge sur le chant
des tuiles de rive et dessinez une plante grimpante sur le mur.
Mélangez de la sciure et de la peinture verte pour donner du
relief à la « pelouse ». Lorsque tout est sec, passez sur le nichoir
plusieurs couches de vernis qui résiste à l'eau.

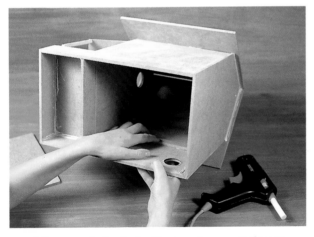

7 Collez une cale étroite à mi-hauteur des murs intérieurs.
Découpez un plancher amovible et posez-le dans le nichoir,
contre les cales. Fixez le nichoir sur le socle à l'aide de la
charnière à piano, afin qu'il soit possible de le soulever et
de retirer le plancher intérieur pour le nettoyer. Découpez
les décorations du pignon et du faîtage dans le balsa de 1,5 mm
et collez-les.

NICHOIR LAVANDE

Voici un modèle peint à main levée qui ne vous demandera que peu de temps, puisqu'il vous suffira de décorer un nichoir acheté tout fait. Les pluies violentes rouleront sur le toit en plomb tandis que les occupants resteront bien au chaud et au sec à l'intérieur. Soyez très prudent au moment de découper la feuille de plomb, et surtout portez des gants de protection.

CE QU'IL VOUS FAUT

Nichoir en bois
Peinture émulsion lilas
Pinceaux fins et moyens
Crayon noir
Peinture acrylique ou aquarelle
  de diverses couleurs
Vernis extérieur mat
Papier pour le patron
Ciseaux
Gants de protection
Feuille de plomb mince
Cisailles ou cutter
Massette en caoutchouc ou maillet

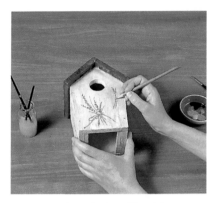

1 Peignez le nichoir en lilas clair et laissez sécher. Dessinez le motif au crayon noir. Coloriez-le à la peinture acrylique ou à l'aquarelle. Lorsque la peinture est sèche, passez sur le nichoir plusieurs couches de vernis extérieur mat.

2 Taillez un patron en papier à la taille du toit en vous servant du modèle figurant page 59. Comptez 12 mm en plus de chaque côté et à l'arrière, et 32 mm devant pour les festons.

3 Reportez le patron sur la feuille de plomb et découpez le toit avec les cisailles ou un cutter.

4 Maintenez la feuille de plomb d'une main et mettez-la en forme en frappant à petits coups avec la massette ou le maillet jusqu'à ce que le métal épouse la forme du toit. Rentrez les 12 mm en surplus à l'arrière et sur les côtés pour fixer le plomb.

CABANE EN RONDINS

Cette cabane est construite autour d'un nichoir très simple doté d'un toit à une seule pente. Avec un peu d'imagination, on verrait presque de la fumée sortir de la cheminée et un oiseau rentrer fatigué au foyer après une dure journée passée à chercher de quoi nourrir sa couvée.

CE QU'IL VOUS FAUT

Panneau de fibres de moyenne densité (MDF) ou contre-plaqué marine de 6 mm
Règle
Crayon noir
Scie
Brindilles et branches
Hachette ou petit fendoir à bûches
Pistolet à colle et bâtons de colle
Peinture émulsion gris foncé
Pinceau moyen
Perceuse
Scie à guichet
Boulon poêlier de 100 × 12 mm
Mousse ou branche moussue

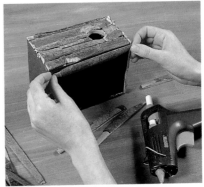

1 Tracez les pièces du nichoir sur le bois en suivant les plans figurant page 59. Découpez-les. Pour tailler les rondins, fendez des petites branches dans le sens de la longueur de manière à ce qu'elles aient un côté plat, à coller sur le nichoir, et un côté arrondi couvert d'écorce. Assemblez le nichoir avec la colle et peignez-le en gris foncé pour que le bois ne se voie pas dans les interstices entre les rondins.

2 Collez les rondins sur la façade. Évidez l'ouverture à travers les rondins et le bois à l'aide d'une perceuse et d'une scie à guichet.

3 Percez un trou de 12 mm et glissez-y le boulon poêlier en guise de cheminée. Continuez à coller des rondins sur le nichoir en les recoupant à la bonne dimension. Le toit doit dépasser un peu pour que la pluie ne ruisselle pas sur les murs. Finissez les coins des murs en recoupant les rondins un par un à la scie. Collez un peu de mousse ou un bâton moussu au ras de l'ouverture pour faire un perchoir.

PETITE CHAUMIÈRE

Cette charmante chaumine est inspirée des constructions rurales traditionnelles.

*Panneau de fibres de moyenne densité
    (MDF) ou contre-plaqué marine
    de 6 mm
Règle
Crayon noir
Scie
Pistolet à colle et bâtons de colle
Perceuse et mèche de 6 mm
Scie à guichet
Adhésif double face
Mastic extérieur
Gravillons
Paille de blé
Fil de fer fin et flexible
Scalpel ou cutter
Grillage à poules à mailles fines
Peinture émulsion : gris clair,
    gris foncé et bordeaux
Pinceaux moyens et fins
Balsa de 3 mm
Vernis extérieur*

1 Tracez les pièces du nichoir sur le bois en suivant les plans figurant page 62, découpez-les et collez-les. Ménagez le trou d'entrée avec la perceuse et la scie à guichet. Découpez une porte et une fenêtre en bois et collez-les provisoirement sur le nichoir avec l'adhésif double face.

2 Étalez une couche épaisse de mastic extérieur sur une petite partie du nichoir. Enfoncez-y à demi les gravillons. Continuez ainsi jusqu'à ce que tout le nichoir soit « crépi », à l'exception de la porte et de la fenêtre. Retirez doucement les caches et mettez-les de côté.

3 Prenez des poignées d'environ 25 brins de paille et liez-les avec le fil de fer. Collez ces bottes sur le toit de bas en haut. Recoupez les bords inférieurs au cutter et enveloppez le tout de grillage à poules à mailles fines pour fixer le chaume.

4 Peignez la porte et la fenêtre en gris clair. Dessinez un treillage gris foncé sur les fenêtres pour imiter des croisées au plomb. Tracez le contour des caches sur le balsa et découpez des encadrements de fenêtres. Découpez une porte en balsa et peignez-la en rouge bordeaux. Collez la porte et les fenêtres à leur place. Peignez le socle en gris foncé et passez plusieurs couches de vernis sur les parties peintes exposées.

La tour de la princesse

Cachée dans la forêt, cette tour romantique évoque la prison d'une belle princesse attendant son prince charmant. Ce nichoir est fait de matériaux de récupération.

CE QU'IL VOUS FAUT

Papier pour le patron
Crayon noir
Ficelle de jardin
Règle
Ciseaux
Section de canalisation de 150 mm
    de diamètre
Feuille de cuivre de 9/10 mm
    mesurant 450 x 450 mm
Crayon gras pour porcelaine
Gants de protection
Cisailles
Lime
Perceuse et foret de 3 mm
Pince à riveter et rivets de 3 mm
Pistolet à colle et bâtons de colle
Feuille de cuivre de 2/10 mm
    mesurant 25 x 50 mm
Clou ou fil de fer de 65 mm de long
Brindilles

1 Préparez un patron en papier pour le toit conique à la dimension de la canalisation. Comptez un chevauchement de 20 mm pour l'assemblage. Reportez le patron sur la feuille de cuivre avec le crayon gras pour porcelaine. Enfilez les gants et découpez la pièce avec les cisailles. Limez les bords pour qu'ils ne soient ni tranchants ni ébarbés. Formez un cône en respectant le chevauchement et vérifiez qu'il correspond au diamètre de la canalisation.

2 Percez des trous de 3 mm régulièrement espacés à travers les deux épaisseurs de cuivre le long du chevauchement et passez-y les rivets. Appuyez sur la poignée de la pince jusqu'à ce que les rivets claquent, indiquant qu'ils sont correctement fixés. Collez le cône au sommet du morceau de canalisation.

3 Découpez un fanion ondulé dans la feuille de cuivre mince. Coupez une extrémité en V et enroulez l'autre autour d'un clou ou d'un morceau de fil de fer en guise de hampe. Collez le fanion au sommet du toit.

4 Fabriquez une échelle de corde en glissant de petites brindilles entre les brins d'une ficelle torsadée. Pratiquez un trou dans le nichoir avec les cisailles et collez-y l'échelle de corde.

Mangeoire antique

Cette mangeoire de style classique, que l'on peut poser sur un piquet, accrocher dans un arbre ou suspendre à une branche, est facile à réaliser et embellira n'importe quel décor.

Ce qu'il vous faut

*Panneau de fibres de
  moyenne densité (MDF)
  ou contre-plaqué marine
  de 12 mm (pour le socle)*
*Panneau de fibres de
  moyenne densité (MDF)
  ou contre-plaqué marine
  de 6 mm*
Règle
Crayon
Scie
*Pistolet à colle et bâtons
  de colle*

*8 boutons de porte de
  placard à visser de
  30 mm de diamètre
  et 20 mm de haut*
*4 tourillons
  de 120 x 16 mm*
Perceuse et mèche de 3 mm
Mastic extérieur
Papier de verre à grain fin
Pinceau moyen
*Peinture émulsion blanc
  cassé*
Vernis extérieur

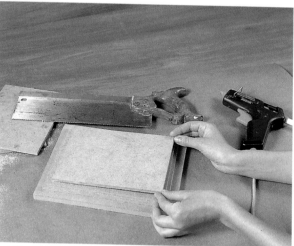

1 Tracez et découpez toutes les pièces en suivant les plans figurant page 55. Collez à chaud le socle et les marches. Marquez l'emplacement des colonnes à chaque coin de la marche supérieure et sur l'envers du plafond.

2 Collez les grands triangles du fronton à chaque extrémité du plafond. ∙∙∙►

3 Collez chaque moitié du toit sur les frontons. Veillez
à ce que chacune dépasse autant au bord du plafond,
ainsi que sur les côtés et aux extrémités.

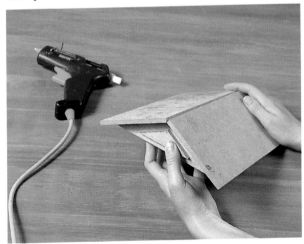

4 Collez la pièce décorative triangulaire au centre du fronton
de façade.

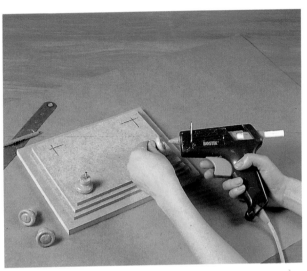

5 Collez les boutons de porte à chaque coin de la base
et du plafond.

6 Percez chaque extrémité des tourillons pour y visser
la tige filetée des boutons de porte. Enduisez les tiges
filetées de colle et posez les colonnes. Bouchez les interstices
avec du mastic extérieur, poncez au papier de verre fin
et passez une couche de peinture blanc cassé sur l'ensemble,
suivie de plusieurs couches de vernis extérieur.

PLANS

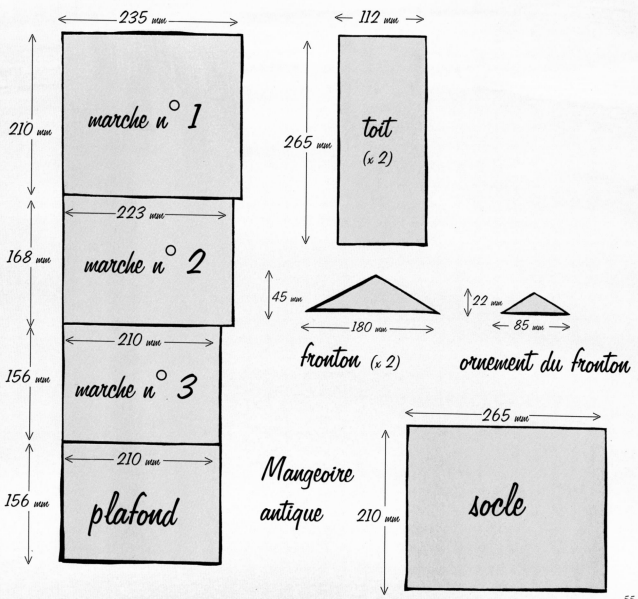

235 mm

210 mm

marche n° 1

223 mm

168 mm

marche n° 2

210 mm

156 mm

marche n° 3

210 mm

156 mm

plafond

112 mm

265 mm

toit
(x 2)

45 mm

180 mm

fronton (x 2)

22 mm

85 mm

ornement du fronton

265 mm

210 mm

Mangeoire
antique

socle

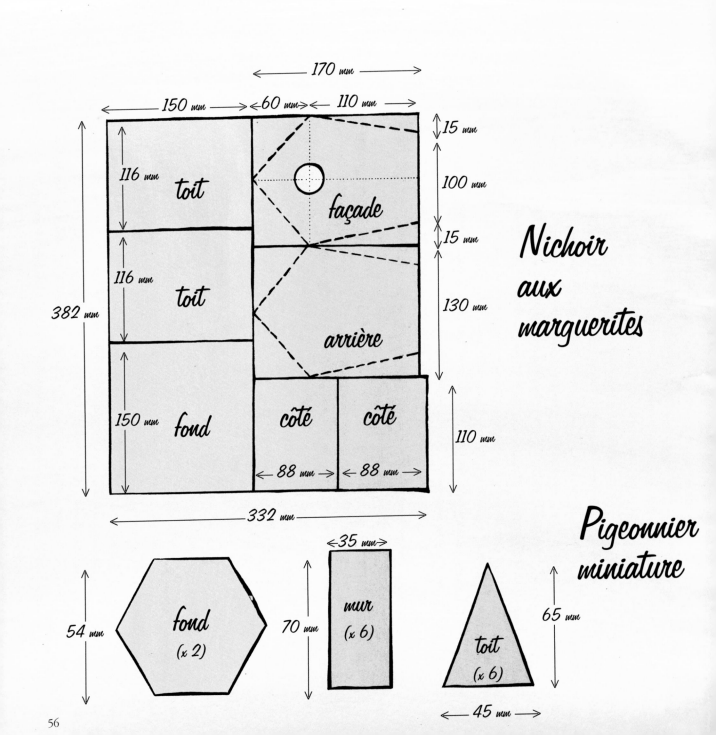

Nichoir aux marguerites

170 mm
150 mm
60 mm
110 mm

toit — 116 mm

façade — 15 mm, 100 mm

toit — 116 mm

arrière — 15 mm, 130 mm

fond — 150 mm

382 mm

côté — 88 mm
côté — 88 mm

110 mm

332 mm

Pigeonnier miniature

fond (x 2) — 54 mm

mur (x 6) — 35 mm, 70 mm

toit (x 6) — 65 mm, 45 mm

Comme à Deauville

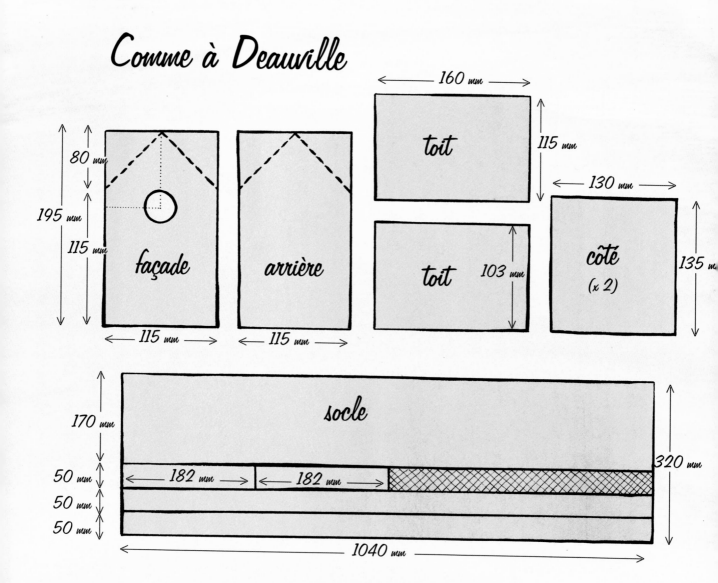

80 mm
195 mm
115 mm

façade

115 mm

arrière

115 mm

160 mm
toit
115 mm

toit
103 mm

130 mm
côté
(x 2)
135 mm

170 mm
socle
320 mm
50 mm
182 mm
182 mm
50 mm
50 mm
1040 mm

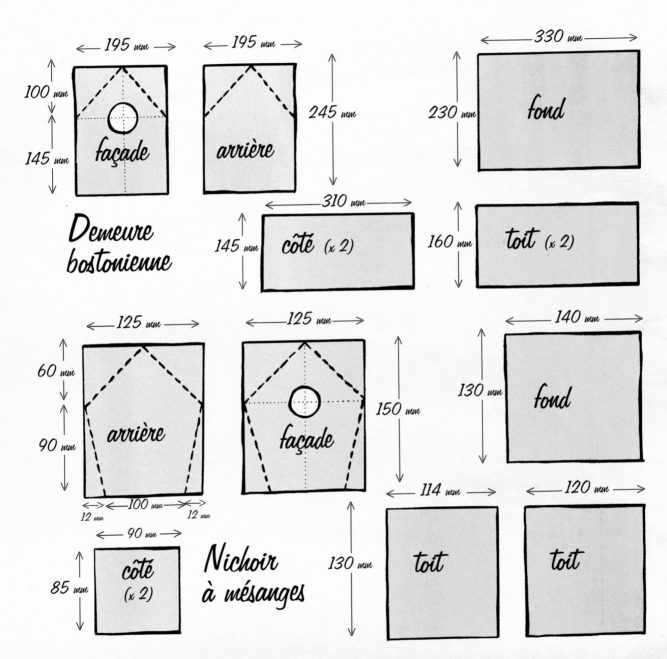

← 195 mm →

100 mm

145 mm

façade

← 195 mm →

245 mm

arrière

← 330 mm →

230 mm

fond

← 310 mm →

145 mm

côté (x 2)

160 mm

toit (x 2)

**Demeure
bostonienne**

← 125 mm →

60 mm

90 mm

arrière

12 mm ← 100 mm → 12 mm

← 125 mm →

150 mm

façade

← 140 mm →

130 mm

fond

← 90 mm →

85 mm

côté
(x 2)

**Nichoir
à mésanges**

130 mm

← 114 mm →

toit

← 120 mm →

toit

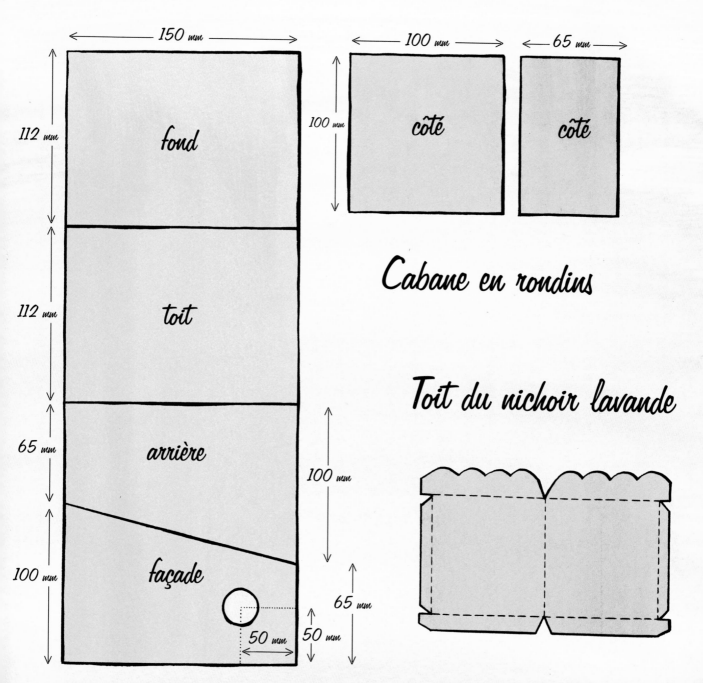

150 mm

100 mm

65 mm

112 mm

fond

côté

côté

112 mm

toit

Cabane en rondins

65 mm

arrière

100 mm

Toit du nichoir lavande

100 mm

façade

65 mm

50 mm

50 mm

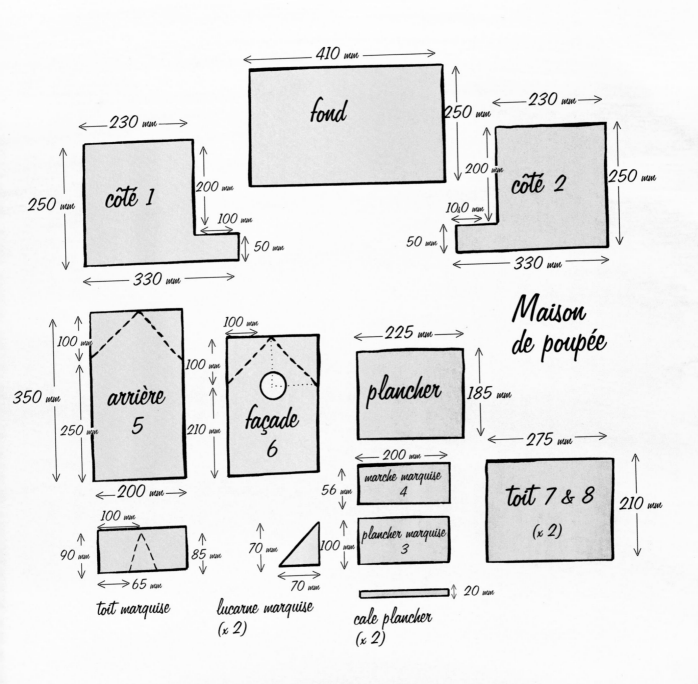

410 mm

fond

250 mm

230 mm

côté 1

250 mm

200 mm

100 mm

50 mm

330 mm

230 mm

côté 2

250 mm

200 mm

10,0 mm

50 mm

330 mm

Maison
de poupée

100 mm

arrière
5

350 mm

100 mm

250 mm

200 mm

100 mm

100 mm

façade
6

210 mm

225 mm

plancher

185 mm

200 mm

marche marquise
4

56 mm

275 mm

toit 7 & 8

(x 2)

210 mm

100 mm

toit marquise

90 mm

85 mm

65 mm

70 mm

lucarne marquise
(x 2)

70 mm

100 mm

plancher marquise
3

cale plancher
(x 2)

20 mm

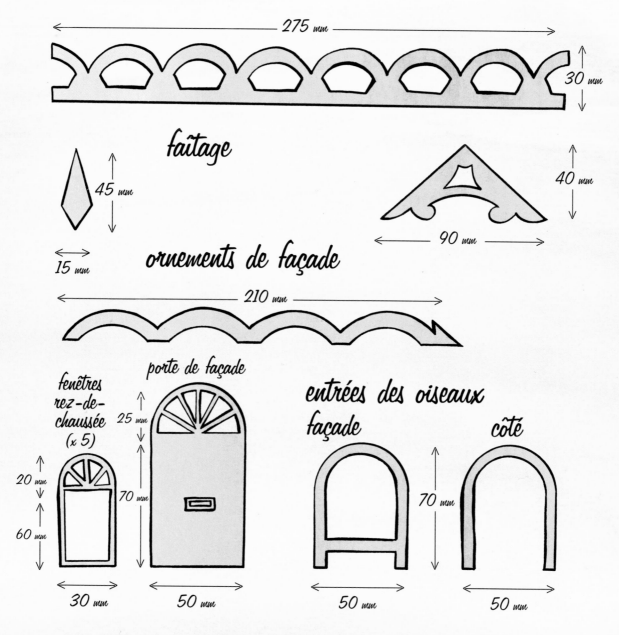

275 mm

30 mm

faîtage

45 mm

40 mm

15 mm

90 mm

ornements de façade

210 mm

fenêtres
rez-de-
chaussée
(x 5)

porte de façade

entrées des oiseaux
façade

côté

25 mm

20 mm

70 mm

70 mm

60 mm

30 mm

50 mm

50 mm

50 mm

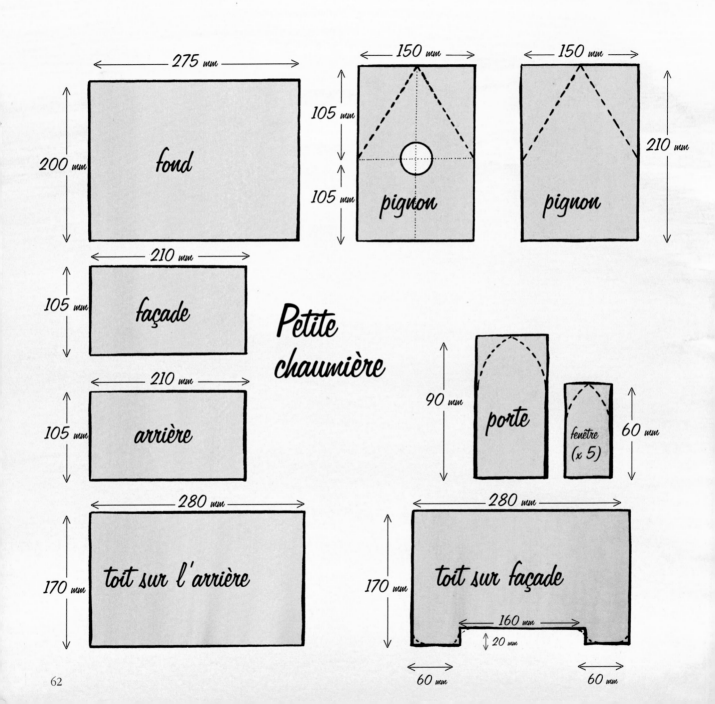

275 mm

200 mm

fond

150 mm

105 mm

105 mm

pignon

150 mm

210 mm

pignon

210 mm

105 mm

façade

210 mm

105 mm

arrière

Petite
chaumière

90 mm

porte

60 mm

fenêtre
(x 5)

280 mm

170 mm

toit sur l'arrière

280 mm

170 mm

toit sur façade

160 mm

20 mm

60 mm

60 mm

Renseignements pratiques

Organisations de protection des animaux et oiseaux

Section française du WWF
151, bd de la Reine
78000 Versailles

Fonds d'intervention pour la protection des rapaces
60, rue Sartors, BP 27
92250 La Garenne-Colombes

Ligue française de protection des oiseaux
BP 263
17305 Rochefort Cedex
ou 48, rue Saint-Anne
75002 Paris

Fournisseurs de matériel et nichoirs

Ligue française de protection des oiseaux
BP 263
17305 Rochefort Cedex
(sur demande au 05 46 82 12 66)

Nature et Découvertes
Forum des Halles
Rue Pierre Lescot
75001 Paris

Bibliographie

Comment protéger les oiseaux, Marc Duquet, éd. Nathan, 1997.

La Maison-nichoir, Jean-François Noblet, éd. Terre vivante, 1994

Les oiseaux de chez nous : les apprivoiser, les nourrir, les secourir et les soigner, Elizabeth Gismondi, éd. De Vecchi, 1996.

Nichoirs et mangeoires, Sylvie Bezuel, éd. Milan, 1995 (poche jeunesse)

Crédits photographiques

Michelle Garrett : p. 11 en bas ; Habitat : p. 8 en haut ; Debbie Patterson : p. 14, p. 15 (styliste : Cleo Mussi) ; Spike Powell : p. 2 ; Wildbird Foods Ltd : p. 11 en haut à gauche et en haut à droite.

Remerciements des auteurs

Nous aimerions remercier les personnes suivantes pour leur précieuse collaboration lors de la rédaction de cet ouvrage, leur soutien, leurs conseils et la mise à disposition des lieux photographiés :
Dominique Coughlin pour nous avoir fait rencontrer Carlo Jolly, qui nous a prêté les nichoirs « Deauville ».
Dave Chitson, de Stilmore Homes, pour le pigeonnier miniature.
Forsham Cottage Arks pour le prêt du pigeonnier mural, de l'étagère et des pots et mangeoires en terre cuite. Merci à Bostik pour la colle et le pistolet à colle ; à 3M pour les adhésifs en bombe ; aux peintures Crown pour leurs produits et à Bosch pour les outils électriques.
Merci à Chris et Pat Cutforth pour les lieux étonnants qu'ils nous ont montrés et leurs conseils ornithologiques, et à Robin Nelson, ainsi qu'à la R. S. P. B., pour leurs conseils sur les oiseaux.
Merci au National Trust de nous avoir permis de prendre des photographies à Avebury Manor, et au Dr et à Mrs Cameron qui nous ont autorisé à photographier leur grange et leur pigeonnier.

INDEX

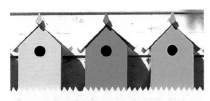